LEC

MAIGRET ET LA JEUNE MORTE

GEORGES SIMENON

Adapté en français facile
par Elyette Roussel

Chaque numéro de piste correspond au numéro de chapitre respectif.
Exemple : piste 1 = chapitre I

 - ISBN : 978 209 031853 1

GEORGES SIMENON est né à Liège (Belgique) en 1903. Il arrête ses études à quinze ans et, après avoir fait divers petits métiers, il devient reporter dans un journal, la *Gazette de Liège*. C'est à cette époque qu'il écrit ses premiers romans, mais il ne les publie pas sous son vrai nom.

En 1922, il s'installe à Paris et, quelques années plus tard, il publie sous son vrai nom ses premiers romans policiers.

À la fin de la Seconde Guerre mondiale, Simenon, qui est accusé d'avoir collaboré avec l'ennemi allemand, préfère quitter la France et il s'exile volontairement à l'étranger. De 1945 à 1955, il vit dans différentes villes des États-Unis.

À partir de 1957, il décide de s'installer à Lausanne (Suisse), où il meurt en 1989.

Georges Simenon a écrit 218 romans sous son vrai nom et environ 300 en employant divers pseudonymes. Le roman *Maigret et la jeune morte* a été écrit aux États-Unis en 1954.

Les romans policiers de Georges Simenon les plus connus sont ceux qui ont comme personnage principal le commissaire Maigret. Il y en a plus de 80. Ces romans-là ont été traduits dans de très nombreuses langues et ont pratiquement tous été portés au cinéma ou à la télévision.

Mais qui est le célèbre commissaire Maigret ? Ce n'est pas un homme d'action et il ne porte généralement pas d'arme. Il fume constamment la pipe et aime bien s'arrêter dans les bars pour boire une bière ou un petit verre d'alcool. C'est un homme calme, tranquille, qui écoute les gens. Il réfléchit beaucoup et parle peu. Et c'est un homme intuitif : le plus souvent, il devine les choses sans avoir de preuve réelle. Il est aidé par les inspecteurs Janvier, Torrence et Lucas.

Maigret et la jeune morte se passe à Paris, dans le quartier de Montmartre, après la Seconde Guerre mondiale.

Les mots ou expressions suivis d'un astérisque* dans le texte sont expliqués dans le Vocabulaire, page 57.

IL EST TROIS HEURES du matin lorsque le commissaire* Maigret et l'inspecteur* Janvier sortent du Quai des Orfèvres*.

– On vient de découvrir une jeune fille morte, place Vintimille, dit Maigret à Janvier. On va voir ?

Place Vintimille, quatre ou cinq policiers sont autour d'un corps étendu par terre. Tout de suite, Maigret reconnaît la silhouette maigre de l'inspecteur Lognon, que ses collègues de la P.J.* parisienne appellent l'inspecteur Malgracieux[1].

– Qui est-ce ? lui demande-t-il.

– On ne sait pas. Elle n'a pas de papiers d'identité sur elle.

Maigret se penche sur la jeune fille. Elle est couchée sur le côté droit et porte une robe du soir bleu pâle. Il n'y a pas de sang sur la robe. Un de ses pieds n'a pas de chaussure.

– On n'a pas retrouvé son soulier ?

– Non. Elle n'a peut-être pas été tuée ici, dit Lognon.

---

1. Malgracieux : qui n'est pas gracieux, c'est-à-dire qui n'est pas beau et n'a pas de charme.

Maigret se tourne vers Janvier.

– Appelle l'Identité Judiciaire* pour qu'ils envoient un photographe. Elle n'avait pas de manteau ?

On est en mars et il fait encore froid pour sortir la nuit sans manteau.

Sans être capable de dire pourquoi, Maigret a l'impression que c'est une affaire assez compliquée qui commence. Il réfléchit, la pipe à la bouche, les mains dans les poches. La robe bleue n'est pas neuve et le tissu n'est pas de bonne qualité. C'est peut-être la robe d'une entraîneuse[1] qui travaille dans une des nombreuses boîtes[2] de Montmartre. Le soulier, à talon très haut, pourrait aussi appartenir à l'une d'elles.

– Elle a dû être tuée ailleurs, dit Maigret à Janvier, à voix basse.

– Mais si elle a été tuée ailleurs, pourquoi a-t-on déposé son cadavre sur cette place ?

– Venez un instant, Lognon.

– Je vous écoute, patron*.

– Vous n'avez jamais vu cette fille ?

Lognon est l'homme qui connaît le mieux le quartier.

– Jamais.

– Allez voir les portiers[3] des boîtes de nuit et interrogez-les.

---

1. Entraîneuse : jeune femme employée dans un bar et qui pousse les clients à boire.
2. Boîte : boîte de nuit. Endroit ouvert la nuit, où on boit et où on danse.
3. Portier : employé qui accueille les clients dans un hôtel, une boîte de nuit... et qui est dans l'entrée.

CAFE

Le photographe et le médecin légiste* arrivent et font leur travail.

– De quoi est-elle morte ? demande Maigret au médecin.

– Elle a été frappée sur la tête avec un objet très lourd, un marteau sûrement. Mais avant elle a reçu d'autres coups au visage, probablement des coups de poing.

– Vous pouvez me dire l'heure de sa mort ?

– Entre deux et trois heures du matin. Le docteur Paul, qui fera l'autopsie*, vous donnera plus de précisions.

– Envoyez une photographie de la morte aux journaux pour qu'elle apparaisse dans les éditions du matin, ajoute-t-il en se tournant vers le photographe.

Il est quatre heures et demie lorsque Maigret et Janvier entrent à l'Institut Médico-légal* où le docteur Paul a commencé à faire l'autopsie.

– Qu'est-ce que vous en pensez, docteur ?

– Elle avait entre dix-neuf et vingt-deux ans. Elle avait une bonne santé mais je pense qu'elle ne mangeait pas à sa faim.

– Une entraîneuse de cabaret[1] ?

– Vous voulez dire une fille qui couche avec les clients ?

– Plus ou moins.

---

1. Cabaret : endroit où on va le soir pour boire et voir un spectacle.

– Alors, la réponse est non. Cette fille n'a jamais couché avec personne.

– Vous en êtes sûr ?

– Certain.

– Je me demande qui c'est, dit Janvier. On met une robe du soir pour aller au théâtre ou pour aller à une soirée mondaine.

– Va chercher ses vêtements, Janvier.

Maigret examine la robe avec attention. L'étiquette porte les mots « Mademoiselle Irène, 35 bis rue de Douai ».

– C'est près de la place Vintimille. Et le soulier vient de la rue Notre-Dame de Lorette, qui est dans le même quartier.

Le docteur Paul, qui vient de terminer l'autopsie, s'approche de Maigret.

– La mort a été causée par la fracture du crâne. Il y a eu plusieurs coups donnés avec un objet lourd et dur. La femme est d'abord tombée sur les genoux et a essayé de se raccrocher à quelqu'un, car j'ai trouvé des brins de laine sous ses ongles. Je vais les envoyer au laboratoire. Et avant de la frapper avec un instrument, on lui a donné des coups au visage, je pense qu'on lui a donné une paire de gifles[1].

– Cela veut dire qu'elle n'a pas été attaquée par derrière... Le contenu de l'estomac vous a appris quelque chose ?

---

1. Gifle : coup donné sur la joue avec la main ouverte.

– Oui, et l'analyse de sang aussi : elle était ivre[1].

– Vous êtes sûr ?

– Vous trouverez demain, dans mon rapport*, le pourcentage d'alcool relevé dans le sang. Elle a dû prendre son dernier repas six ou huit heures avant sa mort, qui a eu lieu vers deux heures du matin.

1. Ivre : qui a trop bu.

CHAPITRE II

– Vous avez lu le journal, Lognon ?

– Je n'ai pas eu le temps, commissaire.

– Regardez, dit Maigret. La photographie de l'inconnue est en première page. J'espère que le Quai des Orfèvres va commencer à recevoir des coups de téléphone. En attendant, venez, allons voir « Mademoiselle Irène ». J'espère qu'elle se souviendra de la jeune fille à qui elle a vendu la robe bleue.

Mademoiselle Irène reconnaît aussitôt la robe que lui montre Maigret.

– Une jeune fille est venue il y a un mois pour louer cette robe. Elle avait besoin d'une robe du soir et elle m'a avoué qu'elle ne pouvait pas s'en acheter une. Elle m'a demandé si je pouvais la lui louer. Elle me l'a rendue le lendemain matin. Elle est revenue hier soir, un peu après neuf heures, et m'a demandé la même robe. Comme elle n'avait pas d'argent pour la louer, elle m'a laissé ses vêtements.

Maigret lui tend le journal pour qu'elle regarde la photographie.

– C'est bien elle. Je suppose que vous voulez que je vous donne ses vêtements.

Maigret examine la robe, le manteau et les souliers

que la jeune fille a laissés, mais il ne trouve aucune marque.

– Est-ce que vous avez noté son nom et son adresse la première fois qu'elle est venue ?

– Oui, sûrement. Je vais chercher et je vous téléphonerai.

***

Une demi-heure plus tard, Maigret arrive au Quai des Orfèvres et entre dans le bureau des inspecteurs.

– Rien pour moi, Lucas ?

– Rien, patron.

Maigret fronce les sourcils. La photographie est dans les journaux depuis plusieurs heures et personne ne lui a encore téléphoné.

– Tu peux m'envoyer l'inspecteur Lapointe ?

Il regarde les vêtements qu'il a rapportés de la boutique et la photographie de la jeune morte.

– Bonjour, patron, dit Lapointe en entrant dans le bureau. Vous avez quelque chose pour moi ?

Maigret lui montre les vêtements et la photo.

– Porte tout cela à l'inspecteur Moers, et demande-lui de tout examiner.

– On ne sait toujours pas qui elle est ?

– On sait seulement qu'elle a emprunté[1] cette robe

---

1. Emprunter : demander un objet ou de l'argent pour un temps limité.

pour une nuit dans une boutique de Montmartre. Quand Moers aura terminé, va voir le corps de la jeune morte à l'Institut Médico-légal, puis va dans une agence de modèles[1] et trouve une jeune fille qui ait la même taille.

– Ensuite ?

– Tu lui feras mettre les deux robes et, si elles lui vont, tu l'amènes ici, à l'Identité Judiciaire, et tu demandes qu'on la photographie.

– D'accord, patron.

– Ce n'est pas tout. Je veux aussi une photographie de la jeune morte qui donne l'impression qu'elle est vivante. Et dis à Torrence que je veux le voir.

Le temps passe et Maigret est de plus en plus surpris de ne pas recevoir de coup de téléphone. Si l'inconnue vivait à Paris, elle avait sûrement des voisins, une concierge[2]... Et puis elle a eu un père, une mère, des amis... Maintenant qu'elle est morte, personne ne paraît se souvenir d'elle. C'est comme si elle n'avait jamais existé.

– Assieds-toi, Torrence, dit-il à l'inspecteur. Tu vois cette photo ? Tu en auras une bien meilleure dans quelques heures. Montre-la dans les hôtels bon marché du centre et dans les établissements pour jeunes filles. Envoie-la aussi dans les commissariats.

---

1. Modèle : homme ou femme qui prête son corps pour présenter des vêtements.
2. Concierge : personne qui garde un immeuble et qui s'occupe du nettoyage.

Après le départ de Torrence, Maigret téléphone à Mademoiselle Irène.

– Vous avez retrouvé l'adresse ?

– Non, mais je me souviens de son prénom. Elle s'appelle Louise.

COMMISSAIRE, quelqu'un qui ne veut pas dire son nom demande à vous parler, lui dit la standardiste[1].

– Passez-moi la communication.

– Je peux vous apprendre quelque chose au sujet de la jeune fille qui a été tuée, place de Vintimille, dit une inconnue. Je sais où elle habitait : rue de Clichy, au 133 bis.

– Qui êtes-vous ?

– Si vous voulez des renseignements, demandez-les à la vieille dame du deuxième, Mme Crêmieux.

Maigret entend une voix qui appelle :

– Rose !... Rose !...

Puis, tout de suite, la communication est coupée.

Janvier entre à ce moment dans le bureau et Maigret l'emmène avec lui.

– On dirait une jeune bonne[2] qui vient d'arriver de la campagne, dit Maigret. Elle a l'accent de Normandie.

---

1. Standardiste : personne qui, à l'entrée d'une entreprise ou d'une administration, s'occupe de faire passer les communications téléphoniques qui viennent de l'extérieur.
2. Bonne : employée qui s'occupe de tout dans une maison.

Le 113 bis, rue de Clichy, est un immeuble bourgeois. Les deux hommes s'arrêtent chez la concierge.

– Police Judiciaire, dit Maigret en montrant sa médaille. Où habite Mme Crêmieux ?

– Au deuxième étage, à gauche.

– Elle vit seule ?

– Oui et non.

– Que voulez-vous dire ?

– Elle prend quelquefois une locataire.

Un journal de la veille est encore sur la chaise, avec la photographie de l'inconnue.

– Vous la connaissez ?

– C'est la dernière locataire de Mme Crêmieux.

– Vous savez son nom ?

– Mme Crêmieux l'appelait Louise mais je ne sais pas son nom de famille.

– Elle habitait ici depuis longtemps ?

– Si je me souviens bien, elle est arrivée un peu avant le premier janvier.

– Vous savez où elle travaillait ?

– Non.

– Elle rentrait pour déjeuner ?

– Mme Crêmieux ne leur permettait pas de cuisiner dans l'appartement. Elle rentrait le soir, vers sept heures.

– Elle sortait beaucoup ?

– Non, et personne n'est jamais venu la chercher.

– En résumé, vous ne savez pas qui elle était, ni

d'où elle venait, ni ce qu'elle faisait... Vous croyez qu'elle était pauvre ?

– Je lui ai toujours vu la même robe et le même manteau.

– Est-ce qu'il y a une jeune bonne venant de Normandie dans l'immeuble ?

– Vous voulez sans doute parler de Rose, celle du second à droite.

– Hier, quand la photographie de la jeune fille a paru dans le journal, vous l'avez reconnue ?

– Je n'étais pas sûre... Et puis Mme Crêmieux m'a dit que la police était payée pour faire son métier...

Maigret et Janvier sonnent chez Mme Crêmieux.

– Police ! Ouvrez !

Mme Crêmieux est une femme petite et maigre, qui a entre soixante-cinq et soixante-dix ans. Elle les fait entrer dans un grand salon.

– Asseyez-vous, messieurs. Que désirez-vous ?

– C'est au sujet de votre locataire.

– Je n'ai pas de locataire...

– Nous sommes au courant, madame Crêmieux.

Maigret lui montre la photographie de l'inconnue et lui demande si elle la reconnaît.

– Elle s'appelle Louise Laboine et elle a vécu ici quelques semaines.

– Est-ce qu'elle avait des objets personnels, des photos ?

– Seulement la photo d'un homme. Une photo d'il y a au moins quinze ans...

– Vous pouvez me décrire cet homme ?

– Un homme de quarante ans, élégant. Il portait un complet[1] très clair, comme les hommes en portent souvent à Nice. Je dis Nice parce qu'il y avait un palmier[2] derrière lui. Si c'est son père, elle ne lui ressemblait pas.

1. Complet : costume d'homme, fait d'un pantalon et d'une veste.
2. Palmier : arbre à grandes feuilles qui pousse dans les régions chaudes.

En sortant de chez Mme Crêmieux, les deux hommes sonnent à la porte de droite et demandent à parler à la bonne.

– C'est toi qui m'as téléphoné ce matin, n'est-ce pas ? lui demande Maigret.

– Oui, monsieur.

– Tu connaissais Louise Laboine ?

– Oui, monsieur.

– Tu l'as vue quelquefois en dehors de l'immeuble ?

– Plusieurs fois. Sur le banc du square[1] de la Trinité, où je vais presque tous les après-midi avec les enfants.

– Qu'est-ce qu'elle faisait ?

– Rien.

Cela voulait dire que, depuis un certain temps, la jeune fille n'avait pas de travail régulier.

***

Quai des Orfèvres, Lognon attendait Maigret.

– Je suis venu faire mon rapport, patron.

– Je vous écoute.

1. Square : petit jardin public.

– Un chauffeur de taxi, Léon Zirkt, a reconnu la jeune fille. La nuit de lundi à mardi, un peu avant minuit, il stationnait[1] devant le *Roméo*, une boîte de la rue Caumartin. Cette nuit-là, le *Roméo* n'était pas ouvert aux clients habituels car il y avait un banquet[2] de mariage. C'était le mariage d'un certain Marco Santoni, représentant en France d'une grande marque de vermouth italien, avec mademoiselle Jeanine Armenieu, de Paris. Les invités étaient nombreux. Vers minuit un quart environ, une jeune fille en robe du soir bleue est sortie du *Roméo* et elle est partie à pied.

– Je suppose que le chauffeur ignore où elle est allée...

– Une demi-heure plus tard, le chauffeur de taxi a conduit un couple place de l'Étoile et, quand il a traversé la place Saint-Augustin, il a vu à nouveau la jeune fille. Elle allait vers le boulevard Haussmann.

– Vous avez fait du bon travail, Lognon. Vous pouvez me parler de Santoni ?

– À la fin du souper au *Roméo*, les nouveaux mariés ont pris l'avion pour Florence, où ils vont passer quelques jours. Santoni a quarante-cinq ans. C'est un bel homme qui fréquente les cabarets, les bars et les meilleurs restaurants. Il a rencontré Jeanine Armenieu il y a quatre ou cinq mois.

---

1. Stationner : pour une voiture, être rangée dans la rue, à côté d'un trottoir, sans circuler.
2. Banquet : repas de fête où il y a beaucoup de personnes invitées.

– Quel âge ?

– Vingt-deux ans. Peu après avoir fait la connaissance de Santoni, elle s'est installée à l'Hôtel *Washington*.

– Vous ne savez pas si la jeune fille est restée longtemps au *Roméo* ?

– Le portier de la boîte se souvient d'avoir vu la jeune fille entrer un peu avant minuit. Il a cru que c'était une amie de la mariée.

– Elle a parlé à la mariée ?

– Oui, elles ont parlé assez longtemps.

– Elles ont eu l'air de se disputer ?

– Non, mais Mme Santoni, paraît-il, a fait plusieurs fois non de la tête.

– Vous avez fait un très bon travail, Lognon. Vous pouvez rentrer chez vous.

Maigret reste seul dans son bureau. Il se pose beaucoup de questions. Est-ce que, pendant les deux derniers mois, alors qu'elle n'avait pas de travail régulier, Louise était à la recherche de Jeanine Armenieu ? Elle avait sûrement lu dans le journal que Jeanine se mariait avec Santoni le jour suivant et qu'une grande réception était donnée au *Roméo*. Dans ce cas, elle était vite allée chez Mlle Irène pour se procurer une robe du soir. Elle était sortie de la boutique vers dix heures. Qu'avait-elle fait dehors, de dix heures à minuit ? Le rapport du docteur Paul se trouvait encore sur le bureau et Maigret se souvenait qu'il avait dit qu'elle avait bu. Or, la jeune fille n'avait rien bu au *Roméo*.

– Janvier, j'ai un travail pour toi. Va rue de Douai, à la boutique de Mlle Irène, et descends à pied jusqu'à la rue Caumartin. Arrête-toi dans tous les bars et dans tous les cafés et montre la photo de Louise Laboine en robe du soir. Essaie de savoir si, lundi soir, entre dix heures et minuit, quelqu'un a vu la jeune fille.

Maigret quitte son bureau et va dans celui de son collègue Priollet, de la Brigade Mondaine*.

– Juste un renseignement. Tu connais un certain Santoni ?

– Marco Santoni ?

– Oui.

– Il vient de se marier, il gagne beaucoup d'argent et le dépense très facilement. C'est un beau garçon qui aime les femmes, les dîners dans les grands restaurants, les voitures de luxe...

– Rien contre lui ?

– Rien.

– Tu peux avoir des renseignements sur sa femme ? Les derniers mois avant de se marier, elle a habité à l'Hôtel *Washington*. J'ai besoin de savoir ce qu'elle faisait avant de le connaître, où elle habitait, qui étaient ses amies...

***

– L'inspecteur Féret, de la brigade mobile de Nice, demande que vous l'appeliez le plus tôt possible, dit

Lucas à Maigret quand il revient à son bureau. Il paraît que c'est au sujet de la jeune morte.

– Allô ! Féret ?

– Bonjour, patron. Je peux vous donner des détails sur la jeune fille morte. Elle s'appelle Louise Laboine.

– Je sais.

– Ce matin, j'ai reçu un coup de téléphone d'une marchande de poisson, une certaine Alice Feynerou. Elle a reconnu la photographie dans le journal. La jeune fille vivait, il y a quatre ou cinq ans, dans l'immeuble voisin. Avec sa mère. La mère et la fille habitaient un appartement assez confortable. La mère s'habillait très bien. Elle sortait généralement après le déjeuner et ne rentrait que tard la nuit.

– Elles ont quitté le quartier ensemble ?

– Oui, un jour, elles ont disparu, en laissant des dettes[1].

– Écoutez, Féret, je veux savoir quand la fille a quitté Nice, ce que la mère est devenue. Les gens qu'elles fréquentaient. Si la fille avait quinze ans, va voir dans les écoles. Et puis, va au casino, au sujet de la mère.

---

1. Dette : quantité d'argent qu'une personne doit à une autre.

– VOUS AVIEZ RAISON, patron, dit Janvier en rentrant dans le bureau de Maigret, trois heures plus tard, légèrement éméché[1]. J'ai fait tous les bars, tous les cafés...

– Je vois !

– C'est seulement au coin de la rue Caumartin et de la rue Saint-Lazare qu'elle s'est arrêtée. Le garçon qui l'a servie se souvient très bien d'elle. Elle est arrivée vers dix heures et demie et elle s'est assise dans un coin. Elle semblait avoir froid et elle a commandé un grog[2]. Puis elle a essayé au moins dix fois de téléphoner.

– Combien de grogs a-t-elle bus ?

– Trois.

Maigret est sur le point de prendre son manteau et son chapeau quand le téléphone sonne.

– Allô ! Le commissaire Maigret écoute.

C'était l'inspecteur Féret, de Nice.

– J'ai retrouvé la mère, patron ! Pour lui parler, j'ai été obligé d'aller à Monte-Carlo.

---

1. Éméché : ivre. Qui a trop bu.
2. Grog : boisson faite avec de l'eau chaude, du rhum et du citron.

– Elle était au casino ?

– Elle y est encore.

– Elle s'y rend tous les jours ?

– Exactement comme d'autres vont au bureau. Elle joue jusqu'à ce qu'elle ait gagné l'argent qu'il lui faut pour vivre. Après, elle part.

– Elle s'appelle Laboine ?

– Germaine Laboine. Mais elle se fait appeler Liliane. Elle a près de soixante ans, est très maquillée et couverte de bijoux faux. Elle ne m'écoutait pas, alors j'ai dû lui déclarer brutalement :

» – Votre fille est morte.

– Quelle a été sa réaction ?

– Elle a continué à jouer jusqu'à ce qu'elle gagne puis elle a demandé :

» – Comment est-ce arrivé ?

» – Elle a été tuée. On l'a trouvée morte dans la rue.

– Elle vit seule ?

– Elle m'a dit qu'elle a été artiste et que, pendant des années, sous le nom de Lili France, elle a fait des tournées[1] dans l'Est et en Asie. La petite est partie il y a quatre ans, en laissant une lettre disant qu'elle ne reviendrait pas. Elle est partie le jour de ses seize ans.

– Elle n'a jamais su ce qu'elle était devenue ?

– Elle a reçu une lettre, quelques mois plus tard,

---

1. Tournée : voyage que fait un artiste en s'arrêtant dans différentes villes pour travailler dans un théâtre, une salle de fête…

d'une certaine Mlle Poré, qui habite rue du Chemin-Vert, lui disant qu'elle ferait bien de surveiller sa fille et de ne pas la laisser seule à Paris. Je ne connais pas l'adresse de Mlle Poré, mais Mme Laboine m'a promis de me la donner. J'ai rendez-vous avec elle ce soir, dès qu'elle rentrera à Nice.

– Appelle-moi chez moi dès que tu auras parlé avec elle. À n'importe quelle heure.

– D'accord, patron.

Maigret raccroche le téléphone et dit à Janvier :

– D'après ce que Féret me dit, Jeanine Armenieu habitait chez mademoiselle Poré, rue du Chemin-Vert. Tu m'accompagnes ?

***

– Mlle Poré ? demandent-ils à la concierge.

– Deuxième étage à gauche. Il y a déjà quelqu'un de la police chez elle…

– Qu'est-ce que voulez ? demande Mlle Poré en ouvrant la porte.

Au moment où Maigret va répondre, il aperçoit l'inspecteur Lognon à l'intérieur.

– Je ne savais pas que vous étiez ici, Lognon.

– J'étais en train de dire à l'inspecteur que je ne suis pas allée trouver la police quand j'ai vu la photographie dans le journal parce que je n'étais pas sûre de la reconnaître.

– Jeanine Armenieu est votre nièce, n'est-ce pas ?

– Je ne parlais pas d'elle mais de son amie. Quant à Jeanine, c'est ma nièce, et je ne me félicite pas de la façon dont son père l'a élevée. Mais asseyez-vous, je vais tout vous raconter.

» Jeanine a voulu venir à Paris pour vivre. Cet appartement n'est pas grand mais j'ai deux chambres et je lui en ai donné une.

» Nous vivions ici toutes les deux. Plus exactement, je croyais que nous vivions ici toutes les deux. Mais le pain et le beurre disparaissaient et je me suis rendu compte qu'en fait, il y avait une troisième personne dans mon appartement. Une gamine[1] de l'âge de ma nièce. Celle dont les journaux ont publié la photo et qu'on a retrouvée morte place Vintimille.

– Comment l'avez-vous trouvée ?

– Un matin, je faisais le ménage et j'ai fait tomber un objet sous le lit de Jeanine. Je me suis baissée pour le ramasser et j'ai poussé un cri : il y avait quelqu'un sous le lit.

» – Sortez de là ! Qui êtes-vous ?

» – Je suis une amie de Jeanine.

» – Et qu'est-ce que vous faites sous le lit ?

» – J'attendais que vous sortiez pour sortir à mon tour.

– Il y avait des semaines que cette fille était dans mon appartement ! Elle avait connu ma nièce dans le

---

1. Gamine : mot familier pour parler d'une petite fille ou d'une adolescente.

train qui les amenait à Paris. La fille s'appelait Louise et elle n'avait pas assez d'argent pour vivre toute seule. Jeanine n'avait pas osé m'en parler.

– Vous avez écrit à sa mère ?

– Comment le savez-vous ? Oui, j'ai obtenu le nom et l'adresse de sa mère et je lui ai écrit.

– Vous avez revu votre nièce quand elle est partie de chez vous ?

– Le peu que je sais d'elle, je l'ai appris par mon frère. Et j'ai appris son mariage par le journal. Le plus curieux, c'est que son amie a été tuée la nuit de son mariage, vous ne trouvez pas ?

– Je vous remercie, mademoiselle. Au revoir.

IL EST UNE HEURE du matin lorsque Maigret est réveillé par un coup de téléphone.

– Allô, Maigret ? C'est Féret, de Nice.

– Tu as vu la femme ?

– Je viens de la quitter. Son père était instituteur dans un village de Haute-Loire[1]. Elle est partie pour Paris quand elle avait dix-huit ans et elle a été figurante[2] au Châtelet[3] pendant deux ans. Après elle a fait une tournée en Amérique du Sud, où elle est restée plusieurs années. Puis elle est partie dans les pays de l'Est.

– Elle ne s'est jamais mariée ?

– Avant la guerre, elle a rencontré un certain Van Cram à Istanbul. Elle avait trente-huit ans. Julius Van Cram avait l'air d'un gentleman et il vivait au *Pera-Palace*, le meilleur hôtel de la ville.

Maigret fronce les sourcils, essayant de retrouver ce que ce nom lui rappelle. Il est sûr que ce n'est pas la première fois qu'il l'entend.

---

1. Haute-Loire : département situé au centre de la France, en Auvergne.
2. Figurante : actrice qui n'a pas un rôle important et qui généralement n'a pas de texte à dire.
3. Châtelet : théâtre parisien.

– Que faisait Van Cram ?

– Elle ne le sait pas. Il parlait couramment plusieurs langues, en particulier l'anglais, le français et l'allemand. Ils ont vécu ensemble puis elle s'est aperçue qu'elle était enceinte[1]. Van Cram lui a proposé de l'épouser et ils se sont mariés à Istanbul. Quelques semaines plus tard, ils se sont installés à Nice et l'enfant est née ici.

– Ils vivaient à l'hôtel ?

– Ils avaient loué un appartement près de la Promenade des Anglais[2] ; deux mois plus tard, Van Cram est sorti pour acheter des cigarettes et elle ne l'a jamais revu.

– Elle a reçu des lettres de lui ?

– Il lui a écrit plusieurs fois, de Londres, de Copenhague, de Hambourg, de New York, et chaque fois il lui envoyait un peu d'argent. Et il lui demandait des nouvelles de leur fille.

– Van Cram savait que sa fille était à Paris ?

– Oui.

– Elle t'a montré une photo de lui ?

– Elle n'en avait qu'une. Quand sa fille est partie à Paris, elle a dû l'emporter car la photo a disparu.

***

1. Enceinte : qui attend un enfant.
2. Promenade des Anglais : avenue de Nice très célèbre.

Quai des Orfèvres, Maigret se rend aux Archives* pour voir s'il trouve quelque chose sur Van Cram. En étudiant la liste des aventuriers internationaux, il finit par découvrir ce qu'il cherche : Van Cram est un malfaiteur[1] qui est recherché par la police de plusieurs pays. Il agit toujours de la même façon : il choisit un homme riche, de préférence un commerçant de province, puis il devient son ami et lui propose de gagner beaucoup d'argent. Et enfin il le vole. Son dernier vol a eu lieu au Mexique, six ans auparavant.

En revenant dans son bureau, Maigret appelle Lucas.

– Va chez Mme Crêmieux, montre-lui cette photographie et demande-lui si c'est le même homme que sur la photo qu'avait la jeune Louise. Et puis téléphone à Féret, à Nice. Dis-lui d'aller voir Mme Laboine pour lui demander à quelles dates Van Cram lui a envoyé de l'argent et de quels pays il venait. Moi, je vais voir Priollet.

Le commissaire Priollet a de nouvelles informations.

– On m'a dit que Jeanine Armenieu a vécu assez longtemps dans un appartement de la rue de Ponthieu. Je ne sais pas le numéro mais on m'a dit qu'il y a un bar au rez-de-chaussée.

– Je te remercie. Tu as d'autres informations au sujet de Santoni ?

---

1. Malfaiteur : personne qui commet de mauvaises actions (vol, meurtre…).

– Non, rien.

Maigret revient dans son bureau et demande à Janvier de l'accompagner.

– Prends ton manteau et ton chapeau, Janvier. Nous allons rue de Ponthieu.

CHAPITRE VII

MAIGRET ET JANVIER trouvent tout de suite la maison de la rue de Ponthieu.

La concierge leur ouvre en souriant et leur dit :

– Vous êtes de la police aussi ?

– Pourquoi dites-vous aussi ?

– Parce que, hier soir, il est déjà venu quelqu'un de la police. Un petit homme à l'air triste.

Maigret sourit en entendant cette description du Malgracieux.

– Je suppose qu'il vous a questionnée au sujet de Mlle Armenieu ?

– Et de son amie, celle qui a été assassinée.

– Vous avez reconnu sa photographie dans le journal ?

– Oui.

– Elle a habité longtemps ici ?

– Environ deux ans.

– Elle travaillait ?

– Oui, dans un bureau.

– Son amie ne vivait pas avec elle ?

– Si. Elles sont parties il y a environ six mois. J'ai raconté tout cela à votre collègue hier. Si vous voulez savoir ce que je pense, je vous dirai que Mlle Jeanine savait ce qu'elle voulait et qu'elle était décidée à tout faire pour réussir. Elle ne sortait pas avec n'importe qui. La plupart des hommes qui venaient la voir avaient une voiture.

– Son amie ne l'accompagnait jamais quand elle sortait ?

– Seulement quand elles allaient au cinéma.

– Louise recevait du courrier ?

– Jamais de lettres personnelles. Son amie m'a dit qu'elle avait une mère, dans le Midi, qui ne s'occupait pas de sa fille.

– Vous pensez que Jeanine aurait aimé vivre sans Louise ?

– Elle disait souvent : « Quand je pense que j'ai quitté mon père pour être libre et que je dois supporter cette idiote. »

– Il y a six mois que Jeanine Armenieu est partie ?

– Oui. Elle avait beaucoup changé ces dernières semaines. Elle s'habillait mieux. Elle recevait des fleurs, des boîtes de chocolat... Un soir elle m'a dit qu'elle partait. Sans rien dire à son amie, parce qu'elle ne voulait plus la voir. Elle est partie un après-midi où son amie était sortie et elle n'a pas laissé d'adresse.

– Qu'a fait Louise, quand elle a appris que son amie était partie ?

– Le lendemain, elle est venue me dire qu'elle était obligée de partir. Je lui ai demandé où elle allait et elle m'a répondu qu'elle ne savait pas.

– Elle est revenue vous voir ?

– Elle est revenue pour me demander l'adresse de son amie. Je lui ai répondu que je ne la connaissais pas.

– Pourquoi voulait-elle la retrouver ?

– Probablement pour lui demander de l'argent.

– Quand est-elle venue pour la dernière fois ?

– Il y a un peu plus d'un mois. Je venais de lire le journal, qui était encore sur la table et où il y avait une photo de son amie, et qui disait : « *Marco Santoni, chaque soir au* Maxim's[1] *avec la ravissante Jeanine Armenieu.* »

Maigret regarde Janvier, qui lui aussi a compris. Un mois plus tôt, Louise Laboine est allée une première fois rue de Douai pour louer une robe du soir à Mademoiselle Irène. Elle avait sûrement l'intention d'aller chez *Maxim's* pour rencontrer son amie.

– Vous avez autre chose à nous dire ?

– Il y a une dizaine de jours, un étranger est venu et m'a demandé si Louise Laboine habitait ici. Je lui ai dit que non et que je ne savais pas son adresse. Il a écrit une lettre pour elle et m'a dit que c'était très important.

» Trois jours plus tard, Mlle Jeanine est venue me voir pour me dire que j'entendrais bientôt parler d'elle dans les journaux. Je lui ai parlé de la lettre et elle m'a dit :

---

1. Maxim's : grand restaurant de Paris.

» – Donnez-la-moi. Je connais Louise et dès qu'elle saura par les journaux où je suis, elle viendra me voir.

***

Quand il arrive au Quai des Orfèvres, Maigret décide de parler avec Marco Santoni et sa femme Jeanine. Il fait téléphoner à tous les hôtels de Florence et les trouve facilement.

– Allô, monsieur Santoni ? C'est le commissaire Maigret, de la Police Judiciaire de Paris. Je veux parler à votre femme.

– Ma femme a déjà répondu hier aux questions d'un de vos collègues. L'inspecteur Lognon.

– Passez-moi votre femme. C'est important. Excusez-moi, madame. Je sais que la concierge de la rue de Ponthieu vous a donné une lettre pour Louise. Vous la lui avez donnée la nuit de votre mariage ?

– Bien sûr que non. Je n'avais pas la lettre avec moi le jour de mon mariage !

– Pourquoi Louise est-elle allée vous voir la nuit de votre mariage ?

– Elle voulait de l'argent. Je lui ai donné trois ou quatre mille francs et je lui ai parlé de la lettre. Je l'avais lue et elle disait : « *J'ai un document important pour vous. Demandez Jimmy au* Pickwick's Bar, *rue de l'Étoile. C'est moi. Si je ne suis pas au bar, le barman vous dira où vous pouvez me voir ou bien il vous donnera une lettre. Il vous deman-*

dera de prouver votre identité. Vous comprendrez après. »

– Vous avez donné ce message à Louise ?

– Non, mais elle est partie en me disant merci. Ce n'est que deux jours plus tard, en lisant le journal, que j'ai appris qu'elle était morte.

– Vous pensez qu'elle est allée au *Pickwick's Bar* ?

– Je pense que oui.

– Elle ne vous a jamais parlé de son père ?

– Je lui ai demandé un jour de qui était la photographie qu'elle avait et elle m'a répondu que c'était son père.

***

Maigret ouvre la porte du bureau voisin et demande à Lucas :

– Tu as des nouvelles de Lognon ?

– Non, patron.

– S'il appelle, dis-lui de me téléphoner au *Pickwick's Bar*, rue de l'Étoile.

– Tout à l'heure, la concierge d'un meublé[1] de la rue d'Aboukir est venue pour dire que Louise Laboine avait vécu dans sa maison pendant quatre mois. Elle est partie il y a deux mois.

– Donc, au moment d'aller rue de Clichy.

Les vides maintenant étaient presque tous remplis.

---

1. Meublé : appartement loué avec des meubles.

Il devenait possible de reconstituer l'histoire de la jeune fille depuis le moment où elle avait quitté sa mère, à Nice, jusqu'à la nuit où elle était allée voir Jeanine au *Roméo*. Il ne restait à reconstituer que son emploi du temps pendant les deux dernières heures de vie.

– Tu viens, Janvier ? Allons au *Pickwick's Bar*.

En entrant dans le *Pickwick's Bar*, Maigret reconnaît aussitôt le barman[1]. C'est Albert Falconi, un Corse que Maigret a envoyé déjà deux fois en prison.

– Deux pernods[2] ! lui demande Maigret. Dis-moi, à quelle heure est venu Lognon ?

– Onze heures, peut-être.

– Quand tu as lu le journal, mardi, tu as reconnu la petite ?

– ...

– Il y avait beaucoup de clients lorsqu'elle est venue lundi soir ?

– C'était plein.

– Quelle heure était-il ?

– Presque une heure du matin.

– Qu'est-ce qu'elle a fait ?

– Elle s'est assise au bar.

– Et qu'est-ce qu'elle a bu ?

– Un martini[3].

---

1. Barman : personne qui sert les boissons dans un bar.
2. Pernod : alcool français, fait à base d'anis, qu'on boit au moment de l'apéritif.
3. Martini : cocktail à base de gin et de vermouth.

– Elle t'a demandé si tu avais une lettre pour elle ?

– Oui. Je lui ai demandé de me montrer sa carte d'identité et je lui ai donné la lettre.

– Pourquoi tu lui as demandé sa carte d'identité ?

– Parce qu'un homme m'avait demandé de le faire.

– Jimmy ?

– Oui, il s'appelait ainsi.

– Quel genre d'homme ?

– Un Américain. J'ai eu l'impression qu'il avait passé plusieurs années en prison.

– Il t'a dit ce qu'il y avait dans la lettre ?

– Non, il m'a seulement dit que c'était important.

– Elle a lu la lettre dans le bar ?

– Non, elle est descendue aux toilettes pour la lire.

– Elle avait quelle tête quand elle est remontée ?

– Elle souriait et avait l'air contente.

– Qu'a-t-elle fait ensuite ?

– Un autre Américain, qui venait depuis quelques jours, l'a invitée à prendre un autre martini.

– Quand avait-il commencé à venir au *Pickwick's* ?

– À peu près en même temps que Jimmy. J'avais l'impression qu'il le suivait. Il était peut-être du F.B.I.

– Quand Jimmy est reparti aux États-Unis, l'autre a continué à venir ?

– Régulièrement.

– Ce soir-là, il est reparti avec la fille ?

– Je crois que oui.

– C'est tout ce que tu as dit à Lognon ?

– Je lui ai dit aussi que, la veille, l'Américain m'avait

dit qu'il voulait aller à Bruxelles en voiture et il m'a demandé si je connaissais un bon hôtel. Je lui ai parlé du *Palace*, en face de la gare.

– Quelle heure était-il quand tu as dit tout ça à Lognon ?

– Près d'une heure du matin. Si vous voulez tout savoir, Lognon est parti à Bruxelles par le train de cinq heures du matin.

– Janvier, descends téléphoner à l'hôtel *Palace* de Bruxelles et demande à parler à Lognon. Peut-être qu'il attend encore l'arrivée de l'Américain. Si tu lui parles, dis-lui de revenir. Et dis-lui que c'est un ordre.

Et se tournant vers le barman :

– Habille-toi, Albert. Nous allons Quai des Orfèvres.

***

Dans son bureau, Maigret fume sa pipe en silence. Janvier ne parle pas.

– Téléphone à Washington, Janvier, et demande le F.B.I. Je veux parler à l'inspecteur Clark.

Maigret s'assoit, puis il se lève, toujours en silence ; il s'approche de la fenêtre, regarde la rue.

– Je veux tout savoir, Albert.

– Je vous ai dit la vérité.

– Non !

Maigret regarde toujours la rue. Il a l'air d'un homme qui n'a rien à faire et qui attend en fumant sa pipe.

– Comment avez-vous deviné ? finit par demander Albert.

Maigret répond tranquillement :

– Je n'ai pas deviné. J'ai su tout de suite.

Tu vois, Albert, ton histoire est parfaite à première vue, presque trop parfaite, et j'aurais pu la croire si je n'avais pas connu la jeune fille.

Albert, surpris, demande au commissaire Maigret :

– Vous la connaissiez ?

– J'ai appris à la connaître.

Maintenant encore, en parlant d'elle, Maigret l'imagine cachée sous le lit, chez Mlle Poré, puis, plus tard, se disputant avec Jeanine Armenieu dans leur appartement de la rue de Ponthieu. Il l'imagine dans le meublé de la rue d'Aboukir. Il la voit entrer au *Maxim's* puis, un mois plus tard, entrer au *Roméo*, parmi les invités de la noce.

– Pour commencer, elle n'a pas pu s'asseoir au bar. Parce qu'elle ne se sentait pas à son aise dans un bar comme celui-ci. Et même si elle s'était assise, elle n'aurait pas demandé un cocktail.

– Elle n'a rien bu.

– Elle n'est pas descendue au sous-sol non plus pour lire la lettre. Dans ton bar, il n'y a aucune inscription qui indique ce qu'il y a en bas.

» Et enfin, les journaux n'ont pas tout dit : ils ont écrit que l'autopsie avait fait apparaître que l'estomac de la jeune morte contenait de l'alcool, sans préciser qu'il s'agissait de rhum. Or le martini se fait avec du gin et du vermouth. Tu lui as vraiment donné la lettre ?

– Oui.

– Mais elle contenait du papier blanc ?

– Oui.

– Quand as-tu ouvert la vraie lettre ?

– Quand j'ai été sûr que Jimmy avait pris l'avion pour les États-Unis.

– Pourquoi tu l'as lue ?

– Un homme qui sort de prison, qui traverse l'océan pour donner une lettre à une jeune fille, cela veut forcément dire que c'est important.

– Et que disait la lettre ?

– Elle disait à peu près : « *Je ne me suis pas beaucoup occupé de toi... et quand tu recevras cette lettre, je serai mort. Il y a à Brooklyn, un quartier de New-York, un Polonais qui s'appelle Lukasek. Il habite 1214, 37ᵉ rue. Va le voir et montre-lui ton passeport. Il te donnera beaucoup d'argent...* »

– À qui tu as montré la lettre ?

– À Bianchi.

– Il est toujours avec la grande Jeanne ?

La grande Jeanne était une prostituée[1] et Maigret avait déjà arrêté* Bianchi au moins dix fois.

---

1. Prostituée : femme qui vend son corps aux hommes pour de l'argent.

Maigret se lève, ouvre la porte du bureau des inspecteurs et dit à Torrence :

– Emmène deux ou trois hommes avec toi et va voir la grande Jeanne, rue Lepic. Tu trouveras sûrement Bianchi chez elle. Tu me le ramènes.

Puis se tournant à nouveau vers Albert :

– Continue. Bianchi avait besoin des papiers d'identité de Louise pour envoyer quelqu'un aux États-Unis à sa place. Vous avez donc attendu qu'elle vienne au *Pickwick's*.

– On ne voulait pas la tuer.

– Bianchi était au *Pickwick's* quand Louise Laboine est venue ?

– Oui.

– Elle est sortie sans lire la lettre ?

– Oui.

– Bianchi l'a suivie ? Je suppose qu'il voulait lui voler son sac ?

– Oui. La rue était déserte. Bianchi a pris le sac à main mais il était accroché au bras de la jeune fille. Elle est tombée à genoux et a voulu crier. Alors il l'a giflée, puis il l'a frappée. Trop fort.

– Et tu as inventé l'histoire du second Américain pour éloigner l'inspecteur Lognon ?

– Il a cru tout de suite mon histoire.

– Pourquoi il a transporté son corps place Vintimille ?

– Il ne pouvait pas le laisser près du *Pickwick's*. Et puis, elle était habillée comme une entraîneuse et elle paraissait plus à sa place à Montmartre.

– Vous avez déjà envoyé quelqu'un aux États-Unis ?

– Non. On attendait un peu.

– L'inspecteur Clark, du F.B.I. est au téléphone, commissaire, l'interrompt Janvier.

La conversation entre Maigret et Clark a lieu moitié dans le mauvais anglais de Maigret, moitié dans le mauvais français de Clark. Clark apprend à Maigret que Julius Van Cram a été enterré un mois plus tôt au pénitencier[1] de Sing-Sing. Il était en prison pour huit ans, parce qu'il avait volé cent mille dollars.

– On a retrouvé l'argent ?

– Non, pas encore.

– Son complice s'appelait Jimmy ?

– Jimmy O'Malley. Il est en liberté.

– Clark, l'argent est à Brooklyn, chez un Polonais qui s'appelle Lukasek. Il devait donner l'argent à une jeune fille qui s'appelle Louise Laboine.

– Elle viendra ?

– Non. Elle est morte cette semaine à Paris.

La conversation se termine et le commissaire Maigret appelle Janvier.

– Emmène Falconi dans ton bureau, enregistre ses déclarations et fais-les-lui signer. Puis conduis-le au Dépôt*. Moi, je téléphone au juge Coméliau.

---

1. Pénitencier : prison.

Le monde de la police

Archives : bibliothèque où sont gardés divers documents.

Arrêter : enlever sa liberté à une personne et la mettre en prison.

Autopsie : examen de toutes les parties d'un cadavre.

Brigade Mondaine : petit groupe de policiers en civil qui s'occupe des problèmes de drogue.

Commissaire : officier de la police. Le commissaire a plusieurs inspecteurs sous ses ordres.

Dépôt : endroit où on enferme les personnes qui ont été arrêtées, avant que le juge les envoie en prison.

Identité Judiciaire : service de police qui s'occupe de rechercher et d'établir l'identité des malfaiteurs.

Inspecteur : officier de police qui fait une enquête et qui est sous les ordres du commissaire.

Institut Médico-légal : synonyme de morgue.

Médecin légiste : médecin chargé de faire l'autopsie.

Patron : nom que donnent les inspecteurs au commissaire qui les dirige.

P.J. : abréviation de Police Judiciaire. La Police Judiciaire est chargée de rechercher les personnes qui ont commis un crime, un vol, etc. pour les livrer à la justice.

Quai des Orfèvres : rue de Paris, située au bord de la Seine et où sont installés les principaux bureaux de la la Police Judiciaire.

Rapport : compte rendu, récit officiel que fait un policier à son supérieur.

1) Répondre par vrai ou faux.

a) La police découvre le corps d'une jeune fille place Vintimille.
b) Mademoiselle Irène ne sait pas à qui a été louée la robe.
c) Louise Laboine était la nièce de Mme Crêmieux.
d) Le soir du mariage de Jeanine Armenieu, Louise va la voir.
e) La mère de Louise Laboine travaille dans une boutique.
f) Maigret connaît le barman du *Pickwick's bar*.

2) Trouver la définition qui correspond à chaque mot.

1. gifle
2. dette
3. square
4. ivre
5. concierge

a) Qui a trop bu.
b) Personne qui garde un immeuble et qui s'occupe du nettoyage.
c) Coup donné sur la joue avec la main ouverte.
d) Petit jardin public.
e) Quantité d'argent qu'une personne doit à une autre.

3) Trouver l'intrus dans chaque série.

portier – boîte – cabaret – bar – restaurant
chaussure – robe – manteau – complet – palmier
photographe – malfaiteur – standardiste – médecin – inspecteur
meublé – appartement – hôtel – casino – maison
martini – vermouth – beurre – pernod – grog

4) Reconstituer 4 mots, de 3 syllabes chacun, appartenant au vocabulaire de la police.

teur – cier – en – top – ins – quê – po – te – li – au – sie – pec

5) Former des couples.

commissaire – entraîneuse – théâtre – autopsie – document – archives – enquête – cabaret – morgue – figurante

Solutions

1) a) vrai b) faux c) faux d) vrai e) faux f) vrai

2) 1. c ; 2. e ; 3. d ; 4. a ; 5. b

3) portier ; palmier ; malfaiteur ; casino ; beurre

4) policier ; enquête ; inspecteur ; autopsie

5) commissaire - enquête ; entraîneuse - cabaret ; théâtre - figurante ; autopsie - morgue ; document - archives

Édition : BFM

Illustrations : Emilio Losada
Couverture :

Imprimé en France par l'imprimerie Maury S.A.S., 12100 Millau
N° d'impression : L16/55451 N
N° de projet : 10232369 - janvier 2017